GILBERT DELAHAYE
MARCEL MARLIER

martine
drôles de fantômes !

Texte de JEAN-LOUIS MARLIER

casterman

4

AAAAAAAAAAAH !

Martine pousse un long cri dans la nuit. Elle se réveille en sursaut !

Une escadrille de fantômes vient d'entrer dans sa chambre.

Elle se débat, elle allume la lumière et… non ! Il n'y a personne.

BRRR ! Quel horrible cauchemar !

En décorant le sapin, Martine raconte son rêve.

– Maman, pourquoi, dans les vieilles maisons et les châteaux, on voit toujours voler des méchants draps de lit et pas des petits anges ? Des anges ou des fées, ce serait plus gentil. Dans le film que j'ai vu hier…

Mais maman l'interrompt :

    – Ils sont fous à la télévision. Ils ne devraient pas montrer des choses qui font peur aux enfants à n'importe quelle heure. Je n'avais pas vu ça dans le programme. Mais ne t'inquiète pas ma puce, de toutes façons, les fantômes, ça n'existe pas !

    – Moi je sais bien qu'ils existent ! reprend Jean. Ils sont tout blancs et ils volent dans les airs, rien que pour faire peur aux filles !

HOUUUUUUU !

    – Jean ! Arrête immédiatement tes bêtises ! dit maman très en colère.

Ce soir, Martine est seule à la maison. Papa et maman
rendent visite à un oncle malade, et Jean est à la chorale.
Ce n'est pas la première fois que Martine reste seule.
Elle est grande, donc elle n'a pas peur. Pourtant,
cette fois, à cause de cette histoire de fantômes,
Martine n'est pas rassurée.
– **BRRRR.** Je n'aime pas ce silence !

Heureusement, Patapouf est là.
– Patapouf !
Viens ici mon chien !
Je vais te brosser.

J'ai bien de la chance d'avoir un bon chien de garde comme toi !

– Whaou ! Avec moi, tu ne risques rien ! Je suis courageux,
dit Patapouf très fier de son rôle important.
Si quelqu'un s'approche de ma maîtresse, hop !

Aussitôt, je lui mords les fesses !

DRRRRING ! DRRRRING ! DRRRRING !

– Trois coups de sonnette. C'est sûrement Jean, dit Martine.
Il a dû oublier ses clefs.

– Fais quand même attention, lance Patapouf qui se cache déjà,
derrière le porte-parapluie.

Martine entrouvre
prudemment la porte.
Elle se penche, à gauche,
à droite… personne !
Un petit vent glacial s'engouffre
dans la maison.
La fillette frissonne des pieds
à la tête.
BRRRR !

– Si celui qui a sonné se cache,
c'est certainement pour me
faire une blague ! se dit-elle
en refermant la porte.

Soudain, là-haut, des bruits
bizarres se font entendre.
Au grenier, quelque chose va de
gauche à droite… puis rebondit vers
la fenêtre…
– C'est… c'est un fantôme ? questionne
Patapouf.
– On va en avoir le cœur net ! répond Martine.

Suivie par le petit chien qui n'ose pas rester seul,
elle monte le lourd escalier de meunier.
– **Chut !** pas un bruit !
Tout doucement, Martine soulève la trappe…

11

Des souris, des petites souris de rien du tout qui jouent au
rugby avec des noix… Et je te la lance, et je te la fait tournoyer,
et les noix roulent sur le plancher en faisant tout un vacarme dans
la nuit…

Mais soudain, c'est l'alerte. Toutes les souris lèvent la tête…

De quoi ont-elles peur ?

D'un vrai fantôme cette fois ?

Vol silencieux et masque blanc, une *chouette effraie* fond
vers le sol. Prises de panique, les souris laissent là leurs jeux
et plongent dans le premier trou venu… ouf, juste à temps !
C'est raté pour la chouette ! La dame blanche ne peut pas
gagner à chaque fois. Elle devra trouver ailleurs son repas.
La voilà qui marche vers la lucarne. Sur le sol, ses serres font
un bruit de capitaine à la jambe de bois : **plic, ploc, plic, ploc…**
Enfin, elle reprend son vol vers le grand ciel étoilé.

– As-tu vu comme elle était belle ? demande Martine à Patapouf.
Vite ! Il faut refermer cette fenêtre… En plein hiver, ce n'est pas très
intelligent de la laisser ouverte.

DRRRRING !

On sonne encore. Qui est-ce ? En se penchant à la fenêtre du grenier,
Martine aperçoit… Jean !
Jean qui sonne à la porte et puis se cache.
– Ce grand nigaud veut vraiment me faire peur !
Viens Patapouf, on va bien l'attraper.

14

Martine descend l'escalier quatre à quatre et entre dans sa chambre.

– Voyons, un ballon, un drap, un cintre, une canne à pêche… J'ai aussi besoin de ficelle.

– Qu'est-ce que tu fais ? demande le petit chien. Pas trop fort ! Tu vas le faire éclater !

– Maintenant je fais un nœud et j'attache le ballon au cintre, poursuit Martine.

Patapouf ne comprend vraiment rien à ce que manigance sa petite maîtresse.

DRRING ! Jean sonne encore. Il faut faire vite car, fatigué de ce petit jeu, le garçon va finir par entrer avec sa clé.

– Voilà qui fera l'affaire !
Avec le drap par-dessus et
la ficelle, nous avons
un fantôme très présentable !
Patapouf, je compte sur toi…
Descendons ! À notre tour
de jouer à faire peur.

Un quart d'heure plus tard,
Jean entre enfin…
– Martine ? C'est moi ! crie-t-il.
Où es-tu ?
Pas de réponse.
– Martine ? demande t-il encore.
C'est alors que Patapouf se met
à hurler comme un fantôme,
un loup-garou.

16

HOUUUUUUUUUUU !

Les cheveux de Jean se dressent sur sa tête.

Martine, cachée derrière la bergère, tire aussitôt sur une ficelle et la chaise qui se trouve près de Jean se déplace toute seule.

– Que… que se passe-t-il ? bégaie Jean.

C'est toi Martine ?

Gling gling…

Voilà que les boules du sapin s'entrechoquent. Tout l'arbre tremble, comme s'il était vivant.

17

C'est une idée de Patapouf : il a attrapé une branche
avec sa gueule et secoue l'arbre de Noël.
Toute la pièce semble hantée.
Jean n'ose plus bouger.
Soudain, derrière lui, un craquement…
Il se retourne et, dans l'encadrement
de la porte, il devine une forme blanche
qui vole au dessus du sol et se balance…

Un… fantôme !

Jean ne cherche plus à comprendre. Il prend ses jambes à son cou
et se réfugie dans le jardin.

Alors, Martine triomphante monte bien vite dans sa
chambre et plonge dans son lit, comme si de rien n'était.
Dehors il se met à neiger. Jean, qui commence à avoir
bien froid, se dit que finalement, ce n'est pas possible,
les fantômes n'existent pas...
Est-ce une farce de sa petite sœur ?
Il rentre à nouveau dans la maison et grimpe en courant
dans la chambre de Martine.

– Tu es là ?

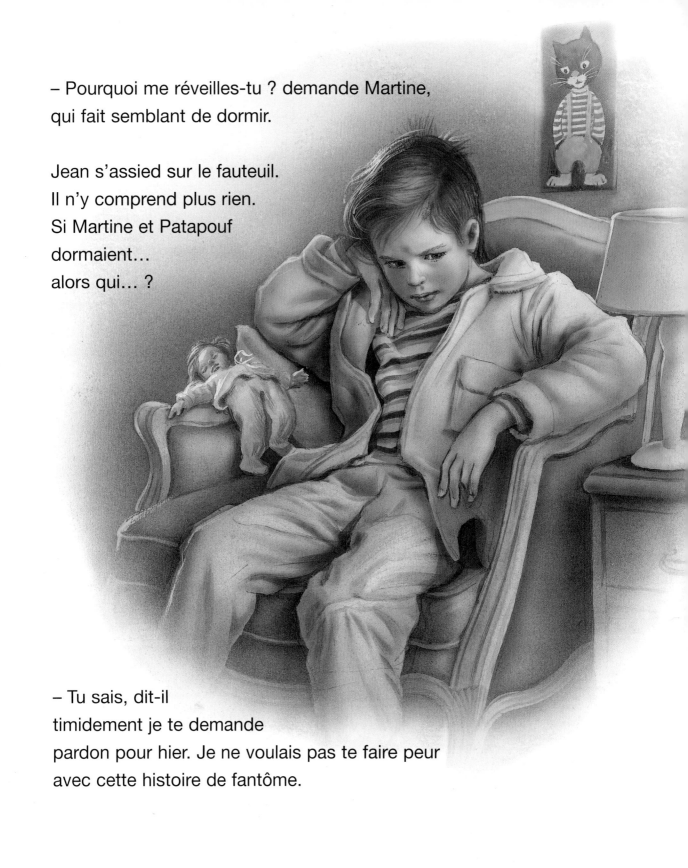

– Pourquoi me réveilles-tu ? demande Martine,
qui fait semblant de dormir.

Jean s'assied sur le fauteuil.
Il n'y comprend plus rien.
Si Martine et Patapouf
dormaient...
alors qui... ?

– Tu sais, dit-il
timidement je te demande
pardon pour hier. Je ne voulais pas te faire peur
avec cette histoire de fantôme.

Si tu veux, pour que tu n'aies pas de cauchemars, je vais dormir avec toi cette nuit.

– C'est gentil ! dit Martine.

En quelques minutes, Jean a mis son pyjama et s'est couché.

Avant d'éteindre la lampe, Martine le regarde… ce soir, c'est elle qui protège son grand frère.

Ces garçons, ce qu'ils sont peureux !

http://www.casterman.com
D'après les personnages créés par Gilbert Delahaye et Marcel Marlier, Léaucour Création.
Imprimé en Italie. Dépôt légal : octobre 2005 ; D. 2005/0053/398.
Déposé au ministère de la Justice, Paris (loi n° 49.956 du 16 juillet 1949 sur les publications destinées à la jeunesse).
ISBN 2-203-10159-8